Exerçons-nous

Français des Affaires

350 exercices, textes, documents

Lydie CORADO et Marie-Odile SANCHEZ-MACAGNO

CORRIGÉS

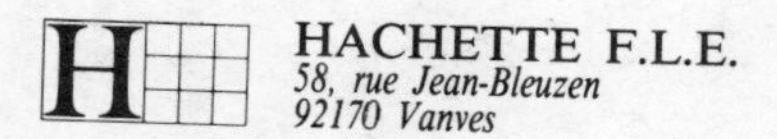
HACHETTE F.L.E.
58, rue Jean-Bleuzen
92170 Vanves

Collection
Exerçons-nous

Des exercices et des activités pour développer sa compétence langagière dans tous les domaines

Pour chaque ouvrage, des corrigés sont également disponibles.

- 350 exercices de grammaire
  - niveau débutant
  - niveau moyen
  - niveau supérieur *(à paraître)*
- 350 exercices de français des affaires
- Orthographe de A à Z
  350 règles, exercices, dictées
- 350 exercices de vocabulaire
  (à paraître)

Maquette de couverture : Version originale
ISBN : 2-01-016263-3
ISSN : 1142-768 x

INTRODUCTION

Les corrigés du livre d'exercices *Français des affaires* ont été conçus pour permettre aux étudiants en situation d'auto-apprentissage de contrôler régulièrement leurs progrès, d'une part, et pour faciliter le travail des professeurs d'autre part.

Si pour certains exercices (définitions, grilles de lecture, recherche d'équivalences, phrases à compléter, etc.) il n'existe qu'une seule bonne réponse, d'autres, en revanche, font appel à une plus grande créativité (prise de messages, questions, rédaction de lettres, résumé, etc.) et le degré de contrainte est bien moindre.
Pour ceux-là, nous ne faisons que proposer une solution parmi d'autres possibles.

LE MOT ET LA PHRASE

le mot

1. Trouver pour chacun des termes suivants au moins deux mots de la même famille, puis introduire l'un d'eux dans une courte phrase.

a. Représentant : représenter / représentation
M. Saville part en représentation de notre maison au Brésil.

Programmateur : programme / programmation
La programmation de ces ordinateurs dépend du nouvel ingénieur-informaticien.

Commerçant : commerce / commercial
Le commerce extérieur est très important pour l'économie d'un pays.

Exportateur : exportation / exporter
Les exportations de champagne français augmentent de plus en plus.

Traducteur : traduire / traduction
Nous voulons une secrétaire trilingue pour traduire ces documents.

Vendeur : vente / vendre
Les articles exposés dans la vitrine ne sont pas en vente.

Entrepreneur : entreprendre / entreprise
Depuis que M. Marignac est le nouveau directeur financier, l'entreprise Savary Frères commence à faire des bénéfices.

b. Correspondance : correspondre / correspondant
Les banques ont souvent des correspondants à l'étranger.

Paiement : payer / paie (paye)
Pour payer un article, vous pouvez faire un chèque ou utiliser une carte bleue.

Comptabilité : comptable / compter
Dans toute entreprise, le comptable est un des principaux responsables de la bonne gestion financière.

Achat : acheter / acheteur
C'est souvent le directeur commercial qui donne l'ordre d'acheter.

Formation : former / formateur
Il faut d'abord bien se former avant de sollici
un emploi.

Contrôle : contrôler / contrôleur
Tous nos produits sont rigoureusement contrô
au départ de l'usine.

Production : produit / produire
Les pays membres de l'O.P.E.P. ont décidé
produire moins de pétrole cette année.

c. Préparer : préparation / préparateur
Les laboratoires Roche recherchent deux prépa
teurs en pharmacie dans la région lyonnaise.

Livrer : livraison / livreur
Nous venons d'engager un nouveau livreur p
nous aider à distribuer les cadeaux pendant
période des fêtes.

Expédier : expéditeur / expédition
Les frais de transport ne sont pas toujours à
charge de l'expéditeur.

Emballer : emballage / emballeur
Cette équipe d'emballeurs a l'habitude de clo
les caisses dans le hangar.

Distribuer : distributeur / distribution
Il y a un distributeur automatique de boisson
chaque étage.

Collaborer : collaborateur / collaboration
La collaboration entre ces deux imprimeries
très ancienne.

Participer : participation / participant
Il y a une grande participation africaine à
conférence internationale sur les matières p
mières.

Organiser : organisation / organisateur
Les organisateurs de la Ve Foire agricole ont re
porté un grand succès.

Diriger : directeur / direction
Notre directeur vient souvent travailler à s
bureau le week-end.

. Trouver les mots qui correspondent aux définitions...

. 1.
. 3.
. 2.
. 3.
. 3.
1.
. 3.

. Même exercice

3.
. 3.
2.
. 1.
1.
3.
2.
. 1. impôts.

. Réductions de prix

ristourne
. remise
escompte
. rabais

. Fonctions commerciales

commissionnaire
. agent commercial
courtier
. mandataire
concessionnaire
représentant

6. Rémunérations 1

a. salaire
b. gages
c. cachet
d. honoraires
e. solde
f. traitement

7. Rémunérations 2

a. dividendes
b. prime
c. allocation
d. subvention
e. indemnisation
f. indemnité

8. Moyens de paiement

a. billet à ordre
b. crédit documentaire
c. chèque
d. virement
e. lettre de change

9. Comptes de l'entreprise :

a. bilan
b. exercice
c. provision
d. budget
e. échéance

la phrase

. Phrases à ordonner.

Mme Dupont va au bureau en métro.

Chaque année, le gérant révise le bilan.

La secrétaire tape immédiatement les docu-
ents.

Le livreur utilise une camionnette pour son
avail.

e. Les magasins sont fermés le dimanche et les jours de fête.

f. Cette offre de services n'est pas très précise.

g. Les essais du prototype commenceront le mois prochain.

h. Il faut toujours relire une lettre avant de l'expédier.

i. Ce nouveau magazine est vendu par abonnement.

j. Les ventes n'augmenteront pas comme nous l'avions prévu.

2. Rédaction de phrases.

a. Dans les magasins, les vendeuses conseillent les clients.

b. Les compagnies d'assurances ne remboursent pas les honoraires des avocats.

c. Nous assurons le service après-vente de tous les articles.

d. Les importateurs achètent des devises sur le marché des changes étranger.

e. Le banquier remet les documents d'expédition à l'agent des douanes.

f. Nous sommes heureux de recevoir une délégation canadienne dans notre usine.

g. Je vais demander des facilités de paiement aux services des impôts.

h. L'entreprise doit investir une partie de ses bénéfices.

i. Les banques transmettent les ordres de bourse des clients aux agents de change.

j. Les créanciers ont dix jours pour se présenter au Tribunal de Commerce.

3. Choisir le terme qui convient pour compléter les phrases suivantes.

a. concertation .

b. donc.

c. monétaires.

d. les meilleurs.

e. épargner.

f. par.

g. postuler pour.

4. Même exercice.

a. télécopie.

b. saison.

c. partir.

d. talon.

e. adresse.

f. davantage.

g. arrêt.

5. Même exercice.

a. le différend.

b. gérance.

c. Le droit.

d. relance.

e. le domicile.

f. proposition.

g. court.

h. la monnaie.

i. comptoir.

j. revenus.

NOMINALISATION ET VERBALISATION

nominalisation

ransformer les phrases en utilisant substantif correspondant au verbe.

La vente (I)

Expédition des marchandises dans le monde tier.

Exécution des commandes par le service des ntes.

Négociations difficiles avec ces clients.

Depuis quelque temps, baisse du prix des atières premières.

Livraison des laitages tous les matins.

Lancement d'un nouveau parfum par Christian ior, l'été prochain.

Paiement au comptant de tous nos fournis-urs.

Vente à perte de certains de nos articles.

La vente (II)

Achat de tous vos stocks à bon prix.

Perte d'un important marché par les établisse-ents Doumer.

Espoir d'une entreprise française de décrocher fabuleux contrat.

Expédition de ces livres contre rembourse-ent.

Règlement obligatoire de la facture dans les inze jours.

Déclaration de ces marchandises à la douane.

Versement obligatoire d'arrhes pour toute servation.

Départ du camion de livraison après l'inspec-on sanitaire.

3. L'entreprise

a. Réponse négative du comité d'entreprise aux propositions du directeur.

b. Production de notre dernier modèle de voiture par cette chaîne.

c. Contrôle du travail des ouvriers par le chef d'atelier.

d. Proposition d'association par leurs concurrents.

e. Rectification de son erreur par la secrétaire.

f. Attribution de ce poste vacant à une personne responsable.

g. Reprise des négociations ce matin.

h. Direction efficace de cette société.

4. La C.E.E.

a. Récente publication des résultats des élections européennes.

b. Entrée de l'Espagne et du Portugal le 1er janvier 1986 dans la Communauté Européenne.

c. Application dans ce secteur des directives communautaires.

d. Division des Douze à cause de la subvention des produits agricoles.

e. Croissance ralentie dans l'ensemble des pays de la Communauté.

f. Publication la semaine prochaine de ces offres d'emploi au Journal Officiel de la Communauté.

g. Réévaluation régulière du mark par rapport aux autres monnaies européennes.

h. Préparation de la prochaine réunion des chefs d'état par les ministres des Affaires étrangères.

5. Divers

a. Étude d'un système de blocage automatique des portes par leur équipe de techniciens.

b. Création d'un nouveau parfum à base d'extraits naturels de fleurs par les laboratoires Yves Rocher.

c. Découverte d'un nouveau système de carte à puce par un Français.

d. Prochain remboursement des créanciers.

e. Réussite de notre directeur commercial dans tout ce qu'il entreprend.

f. Ouverture de nos bureaux de Nantes pendant tout le mois d'août.

g. Versement d'une caution au propriétaire au moment de la signature.

h. Construction d'un porte-conteneurs au chantier naval de la Ciotat.

6. Même exercice.

a. Fermeture de nos magasins les 2 et 3 janvier derniers pour cause d'inventaire.

b. Multiplication d'appels en faveur de la concertation sociale par le gouvernement.

c. Location de bureaux dans cette zone par Intérimo.

d. Retard de nos expéditions à cause de la grève des aiguilleurs du ciel.

e. Modification demain du plan de travail à cause de la panne dans l'atelier.

f. Surveillance permanente des travaux par un architecte.

g. Mise en place par le directeur commercial d'un service technique d'urgence.

h. Restructuration de tous les services par le nouveau propriétaire.

7. Même exercice.

a. Résiliation du bail au bout de trois ans.

b. Important gain de temps prévu grâce à cett machine entièrement automatique.

c. Crainte des fonctionnaires de voir diminue leur pouvoir d'achat.

d. Prochain agrandissement du dépôt de cett multinationale dans la région sud-est.

e. Adjudication de ce contrat à l'entreprise Spadi.

f. Prochain accueil de la délégation chinoise par l directeur des services import-export.

g. Rédaction du compte rendu de l'assemblé générale par le secrétaire.

h. Etablissement des factures par le service comp table.

i. Apport de nouveaux capitaux par les action naires.

j. Plaintes des vendeurs à cause du mauvais fonc tionnement du climatiseur.

8. Même exercice.

a. Fin des soldes après-demain / dans deux jours.

b. Dépôt du bilan au Tribunal de Commerce pa le gérant.

c. Suppression du poste de dactylo depuis le mo dernier.

d. Difficulté pour résoudre ce problème e quelques jours.

e. Prise de position du comité d'entreprise sur c conflit.

f. Acquittement des délégués syndicaux par le tr bunal.

g. Intérêt des sociétés japonaises pour ce typ d'investissement.

h. Remise des marchandises contre un bon d réception.

i. Le 12 février, ouverture du salon du prêt-à-po ter aux professionnels.

j. Espoir de nous défaire rapidement de nc stocks.

Modifier la phrase en utilisant le verbe correspondant au temps indiqué.

a. Matra a conquis de nouveaux marchés en Amérique du Sud.

b. La mairie perçoit la taxe foncière en octobre.

c. Les producteurs de primeurs craignent les importations en provenance des pays de l'Europe du Sud.

d. Le gouvernement a promis le versement d'indemnités sécheresse aux agriculteurs du Sud-Ouest.

e. Le premier jour, tous les nouveaux employés liront obligatoirement les normes de sécurité.

f. Il est interdit de pénétrer sans casque sur le chantier.

g. Le taux d'absentéisme a été réduit grâce à l'implantation de l'horaire flexible.

h. Les salariés ont été satisfaits après l'intervention du médiateur.

i. Un nouvel hebdomadaire à caractère économique paraîtra tous les lundis.

j. Les Chambres Régionales des Comptes garantissent le bon fonctionnement des finances municipales.

TÉLÉPHONE ET TÉLEX

fiches téléphoniques

1. Livraison

Appel pour : Mme Ramage (Les Pépinières du Sud-Ouest)
De la part de : Michel Raugier, fleuriste à Muret.

■ **demande à être rappelé**
A laissé le message suivant : Demande la livraison de 50 pots de cyclamens rouges pour demain matin 7 heures.
Garderait les 50 pots de cyclamens blancs et roses envoyés par erreur, avec une remise de 10 %.
Date : 27 octobre

2. Réservation de stand

Appel pour : M. Rasimbeau
De la part de : M. Chaumard
Société : Chaîne Sport et Loisirs

■ rappellera
Message : Stand 82 trop petit, a besoin de 15 m supplémentaires ou bien d'un ensemble T magnétoscope avec écran géant.

3. Assurances

Appel pour : L'inspecteur de zone du Lavandou
Date : vendredi 4 avril 19..
Assuré : Christophe Manthe
N° Police : 68-74125
Circonstances du sinistre : vendredi 4 avril 19 Chute d'une cliente dans la pâtisserie ; elle heurté une vitrine.
Victime(s) : Mme Bardet Sylvie
Dommage(s) : fracture du poignet.

rédaction de télex

La disposition de certains éléments du télex peut varier en fonction de l'appareil utilisé (si celui-ci est couplé avec un ordinateur).

1. Confirmation :

DELPLAN 2 3 5 1 2 2 F
*326 15.45

GARMID 1 2 3 4 5 6 F
22.11

Confirmons commande de 12 lots de bougies A Z 845 passée par téléphone hier. Prière de les expédier de toute urgence. Merci.

DELPLAN 2 3 5 1 2 2 F

GARMID 1 2 3 4 5 6 F

2. Commande :

GALSUDE 6 7 4 5 5 5 F
199 14.17

SIBEFOU 2 8 4 9 7 1 F
18/07/19..

Veuillez nous expédier avant le 15 septembre dernier délai :
- 10 manteaux T 42 vison black mod. V B 150
- 5 " T 44 " " "
- 3 " T 46 " " "

Conditions habituelles. Merci. Salutations.
M. Michaud Service Achat

GALSUDE 6 7 4 5 5 5 F

SIBEFOU 2 8 4 9 7 1 F

Réponse de Sibéria Fourrure

GALSUDE 6 7 4 5 5 5 F
200 10.26
SIBEFOU 2 8 4 9 7 1 F
19/07/19..

ATTN : M. Michaud.
Accusons réception de votre commande du 19/07. La livraison se fera le 27/07. Facture envoyée ce jour.
Merci. Salutations.

GALSUDE 6 7 4 5 5 5 F

SIBEFOU 2 8 4 9 7 1 F

3. Réservation de chambres

LAPHYNA 248219 F

HOTLUTE 437610 F

093 1530

Souhaitons réserver 5 chambres individuelles avec salle de bains pour le Congrès de Thalassothérapie, du 5 au 8 juin compris.
Salutations.

M.C Chaman.

LAPHYNA 248219 F

HOTLUTE 437610 F

Réponses de l'hôtel Lutécia

HOTLUTE 437610 F

LAPHYNA 248219 F

093 1753
ATTN : M.C Chaman

Regrettons de ne pouvoir vous satisfaire, hôtel complet pour durée du congrès. Hôtel Ibis, 12, cours Jean-Bart, disposait hier encore, de quelques chambres. Salutations.

HOTLUTE 437610 F

LAPHYNA 248219 F

4. Demande de rendez-vous

MAISROG 473126 F

MICTRAIT 954268 F

285 0920

Notre nouveau directeur commercial M. Lethuc se rendra en Savoie du 26 au 30 octobre prochains afin de prendre contact avec nos clients. Pourriez-vous lui fixer un rendez-vous entre ces deux dates, le plus rapidement possible ? D'avance merci.

Joirand Relations publiques.

MAISROG 473126 F

MICTRAIT 954268 F

Réponse de Michel Traiteur

MICTRAIT 954268 F

MAISROG 473126 F

286 1037

ATTN : M. Joirand
Recevrai avec plaisir M. Lethuc le 28 octobre à 10 h. J'attends télex de confirmation. Salutations.

Michel Traiteur

MICTRAIT 954268 F

MAISROG 473126 F

5. Demande de renvoi de traite

QUINCHA 505248 F

METALSA 492158 F

015 1158

Avons constaté une erreur de 250 F en notre faveur dans votre facture n° A2450, c'est pourquoi nous vous demandons de renvoyer la traite émise le 8 courant. Merci.

Salutations.

J. Boudon

QUINCHA 505248 F

METALSA 492158 F

Réponse des établissements Métallu.

METALSA 492158 F

QUINCHA 505248 F

016 0905

Notre service comptable s'est également aperçu de cette erreur dont nous nous excusons. Nouvelle facture annulant la précédente et traite du 8 courant expédiées par courrier le 13. Toutes nos excuses. Merci de votre compréhension.

METALSA 492158 F

QUINCHA 505248 F

LA LETTRE COMMERCIALE

formules de débuts et de fin de lettres

- d / 2 - c / 3 - a / 4 - b : 5 - e

- b / 2 - e / 3 - d / 4 - a / 5 - c /

- c / 2 - e / 3 - a / 4 - b / 5 - d

4.

1 - d / 2 - e / 3 - a / 4 - c / 5 - b

5.

1 - b / 2 - d / 3 - e / 4 - c / 5 - a

6.

1 - c / 2 - d / 3 - a / 4 - b / 5 - e

compréhension

Commande.

. A. Chevalier

. Porcelaines Pyrovair

. D. Les frais d'emballage et de transport sont
mpris dans le prix de vente, ils sont donc payés
ır le client.

. F. Le client demande un délai de paiement
us long que d'habitude. Il invoque comme
guments l'importance de la commande
l'ancienneté de leurs relations commerciales.

. *Demande de renseignements.*

. M. Blanchard

. Lumitel S.A

. Il ne s'agit pas d'une commande ferme.

. Le client souhaite être livré sous huitaine et
ɔn sous quinzaine.

. F. Il ne s'agit pas d'une première commande
ır le client connaît les délais de livraison des éta-
issements Lumitel.

3. La lettre de commande.

Les articles commandés doivent être indiqués de façon très claire afin qu'il n'y ait pas de confusion possible au niveau de la quantité, de la nature et des caractéristiques. Si le client est en possession d'un catalogue de son fournisseur, il fera figurer dans sa lettre les références correspondantes.
Le client devra indiquer si la commande se fait aux conditions habituelles (délais de paiement, livraison, transport, ...) ou, le cas échéant, proposer des conditions particulières.
Dans le corps de la lettre, on trouve le plus souvent le mode indicatif et notamment le présent et le futur.

Le conditionnel présent apparaît généralement dans la fin de la lettre. Quant à l'impératif, il n'est pratiquement employé que dans des formules du type : "veuillez agréer" ... "ou veuillez nous faire parvenir" ...

Dans les deux cas le client utilise la formule : «...expression de mes/nos sentiments distingués».

4. Modification de commande.

a Maison Leroc et Frères

b. Établissements Rivière

c. Le modèle demandé ne figure plus dans le nouveau catalogue.

d. Le fournisseur propose le modèle qui a remplacé celui que le client désirait.

e. Le représentant des Établissements Rivière viendra présenter la nouvelle collection à la Maison Leroc et Frères.

5. Réponse à une première lettre de commande.

a. Sport et plein air

b. Maison Feugerolles

c. Prix donnés toutes taxes comprises, marchandises garanties un an et livrées franco de port et d'emballage, règlement à 30 jours fin de mois de réception ou dans les 10 jours suivant la réception avec un escompte de 1,5 %.

d. Les marchandises sont livrées par le S.E.R.N.A.M.

e. La phrase : "nous sommes ravis d'entrer en relations commerciales avec vous", ainsi que les précisions concernant les conditions de vente indiquent qu'il s'agit d'une première commande.

6. La réponse à une lettre de commande.

Dans la réponse à une lettre de commande, le fournisseur accuse réception de l'ordre et remercie généralement le client de la confiance qu'il lui témoigne. Il rappelle les marchandises commandées et les conditions de vente. Il indique s'il est en mesure ou non d'exécuter la commande et fait, le cas échéant, une contre-proposition. Le fournisseur peut avoir à se prononcer sur des conditions particulières que lui aura demandées son client. La lettre se termine par l'annonce de l'envoi de la facture et/ou que le fournisseur accordera tous ses soins à l'exécution de la commande.
La formule de politesse d'une lettre de commande diffère de celle utilisée dans la réponse (sentiments distingués/sentiments dévoués) car elle tient compte du destinataire de la lettre et de l'obj et traduit les relations qui existent entre l'expéd teur et le destinataire.

7. Réclamation 1

a. Non, la commande a été passée par l'interm diaire d'un représentant.

b. T. Joubert adresse une lettre de réclamatio aux Confiseries Réunies de l'Isère car la comma de passée à leur représentant n'a pas encore é livrée.

c. À l'approche des fêtes de fin d'année la no livraison de la commande risque d'avoir d conséquences graves pour le pâtissier, il pe perdre de nombreuses ventes.

d. T. Joubert n'annule pas la commande mais donne une date limite de livraison au-delà d laquelle il menace de mettre en cause la respons bilité de son fournisseur.

e. Le ton de la lettre est ferme et menaçant.

8. Réclamation 2.

a. E. Crespin écrit une lettre de réclamation à so fournisseur pour se plaindre du manque de soi apporté à l'exécution de sa commande.

b. Mme Crespin, après avoir examiné le conten du colis, a décidé de renvoyer une partie de l commande aux frais du fournisseur.

c. Elle demande un rabais de 2 % sur le monta de la facture car elle doit effectuer des retouch sur la marchandise conservée.

d. Comme ce n'est pas la première fois que d telles anomalies se produisent, la cliente exige qu son fournisseur prenne les mesures qui s'imposen sous peine de se passer de ses services.

9. La lettre de réclamation.

La lettre de réclamation doit être particulièremen claire et précise. Il convient d'y exposer les fait de façon très exacte car, en cas de litige, la corres pondance constitue un moyen de preuve. Le to de la lettre est ferme et peut se faire menaçan mais il n'en demeure pas moins correct.

1. Réponse à une demande de report de paiement.

Les Papeteries du Centre
Vente en gros
15, rue Guillaume Apollinaire
87000 LIMOGES

Limoges, le 3 février 19..

Marcel Létournel
Librairie-Papeterie
20, square des Diables-Bleus
87000 LIMOGES

Monsieur,

Nous accusons réception de votre lettre du 27 janvier nous demandant de repousser d'un mois le règlement de notre facture S 3456 d'un montant de 12 243 F, que vous deviez nous régler le 28 février prochain.

Compte tenu de l'ancienneté de nos relations, la régularité de vos règlements et l'importance de la commande, nous acceptons, à titre exceptionnel, de reporter au 31 mars prochain, sans intérêt de retard, la totalité de votre échéance, soit 12 243 F.

Nous espérons que vous serez satisfait de cette solution car il nous est difficile de faire plus, en raison de nos engagements envers nos propres fournisseurs.

Veuillez agréer, Monsieur, l'expression de nos sentiments dévoués.

Paul Martigues

2. Réclamation 1.

Mademoiselle Marie-Jeanne Martin
3, rue de l'Église
71000 MÂCON

Mâcon, le 27 février 19..

Monsieur le Receveur
Poste centrale
71000 MACON

Monsieur le Receveur,

J'ai constaté que, depuis deux mois environ, des lettres qui me sont adressées sont remises à mademoiselle Monique Martin, qui demeure également à Mâcon, rue de l'Église mais au n° 36.

Mademoiselle Martin m'a dit qu'elle rendait au préposé le courrier qui ne lui était pas destiné, et que si, par mégarde, elle l'avait ouvert elle venait, elle-même, le mettre dans ma boîte aux lettres.

Vous admettrez que de telles erreurs de distribution sont, avec le temps, gênantes pour mademoiselle Monique Martin et pour moi-même.

C'est pourquoi je vous demanderais de bien vouloir faire le nécessaire pour que mon courrier parvienne normalement à mon domicile comme par le passé.

En vous remerciant à l'avance, je vous prie d'agréer, Monsieur le Receveur, l'expression de mes salutations distinguées.

Marie-Jeanne Martin

3. Réclamation 2.

La Maison du Blanc
M. Miragliotta
16, avenue De Lattre-de-Tassigny
57000 METZ

Metz, le 12 novembre 19..

Monsieur le Chef de Gare,

Je me permets de vous rappeler que le 28 octobre dernier, à 9 heures, la S.N.C.F. a livré, à mon domicile, une caisse en provenance de Roubaix contenant quatre-vingts paires de draps. La caisse avait, de toute évidence, été endommagée pendant le transport.

J'ai effectué les réserves d'usage sur votre registre de livraison, et le livreur a également constaté que vingt-deux paires de draps étaient salies et invendables.

Nous sommes le 12 novembre, et je n'ai pas encore reçu de réponse à mon courrier du 28 octobre dans laquelle je vous exposais les faits et vous demandais ce que vos services allaient faire.

Je fais, dès à présent, toutes réserves sur le préjudice que je subis en raison du retard dans la livraison.

Si dans un délai de trois jours je n'avais pas de réponse de votre part, je me verrais dans l'obligation de saisir le Tribunal de Commerce et d'engager une procédure en responsabilité, conformément à l'article 106 du Code de commerce.

Veuillez agréer, Monsieur le Chef de gare, l'expression de mes salutations distinguées.

Pierrette Richard

lettres à compléter

1. Lettre de remerciements.

Après, au, je, à, je tiens, attentions, mon, convenu, avant, j'ai, l'occasion, de la, m'en, ravi, spécialités, sa, encore, succès, organisation, plaisir, annuelle, confrère, cordiaux.

2. Circulaire.

Le plaisir, bientôt, cette, choisir, du, de, ci-joint, tarifs, anniversaire, remise, sur, promotion, attention, cours, nous, votre, nous, à, disposition, vous.

3. Demande de renseignements.

Objet, fiche, adresse, sur, montant, payable, seule, avant, aimerions, renseignements, informations, sujet, création, affaires, personnelle, discrétion, remercions.

4. Réponse à une offre d'emploi.

Solliciter, vacant, fait l'objet, complémentaires, vous adresser, les ordres, pendant, depuis, transféré, quotidiens, c'est pourquoi, retenu, sans compter, je souhaiterais, de continuer à, jusqu'à, dès que, équivalente.

5. Contre-proposition.

Echantillons, courant, nous, de, dernier, entière / toute, car, très, par, rapport, prix, vous, notre, entre, de, en, au, de, ce, aux, clientèle, très heureux / ravis, en, recevoir, tous, veuillez, dévoués.

6. Réponse à une lettre de réclamation.

Du, que, toujours, pièces, modèle, même, maillots de bain, prochainement / très bientôt / sous peu, ne, regret, à, les, propre, tenu, ci-joint, d'autres / des, que, en, espérons, vos, honorer, à l'expression de.

7. Réclamation.

Viens, votre, laquelle, tiré, courant, profit, fonds, étonné, à l', change, domiciliée, montant, porté, compte, lettre de change, payer / régler, tout / un, être, bonne, bien, effectuer / faire effectuer, qu'elles, remerciant, salutations.

8. Lettre d'engagement.

Suite, eu, engager, qualité, convenu, mensuels, heures, hebdomadaires, bout, mois, congés, avantages, interne, commencerez, prochain, de, nous, confirmer / faire parvenir, avant, date, libre, l'attente, agréer.

9. Offre de nouveaux produits.

Suite, nos, téléphoniques, expédié / envoyé, adressé, même, colis, échantillons, fêtes, sur, nouveaux, il, de, utilisés / employés, dès, part, des, quelques, aurons, bien, commercial, termes, clauses / conditions / détails, contrat, lettre, colis, croire, parvenir, dès que.

1. *Demande de renseignements.*

Établissements Datalux
18, avenue de l'Aérospatiale
31700 BLAGNAC

Compagnie Transroute
95, bd de Strasbourg
31000 TOULOUSE

Blagnac, le...

Monsieur,

Nous vous serions reconnaissants de bien vouloir nous faire parvenir le plus rapidement possible vos conditions pour le transport de 10 caisses de matériel électronique, représentant un volume total de 7,5 m3.

Le chargement de la marchandise par notre service des expéditions se fera à notre usine de Blagnac. Par contre, vos employés devront la décharger à Perpignan où elle doit être livrée.

Veuillez agréer, Monsieur, l'expression de nos sentiments distingués.

xxxxx

2. *Réponse à une commande.*

Richard et Fils
26, bd des Alpes
69100 VILLEURBANNE

Établissements Blousyl
6, rue de l'Abreuvoir
38000 GRENOBLE

P.J : une facture

Villeurbanne, le ...

Monsieur,

Nous accusons réception de votre commande n° 48 du 15 courant.

Nous vous ferons parvenir sous huitaine les articles commandés aux conditions habituelles :

- 15 chemisiers en polyester, T 40, vieux-rose, réf. E 215, au prix unitaire de 45 F,

- 10 chemisiers en crêpe, T 42, blanc, réf. E 220, au prix unitaire de 57 F.

Vous trouverez ci-joint la facture correspondante, payable par traite à trente jours fin de mois de livraison.

Nous vous remercions de votre ordre et vous prions, Monsieur, d'agréer l'expression de nos sentiments dévoués.

xxxxx

3. *Réponse à une lettre de commande (difficulté d'exécution).*

Richard et Fils
26, bd des Alpes
691001 VILLEURBANNE

Etablissements Blousyl
6, rue de l'Abreuvoir
38000 GRENOBLE

Villeurbanne, le ...

Monsieur,

Nous accusons réception, ce jour, de votre commande n° 48 du 15 courant.

Le succès de nos chemisiers en crêpe blanc réf. E 220 a dépassé toutes nos prévisions et il ne nous en reste plus que 4 en stock que nous vous avons immédiatement réservés.

Nous sommes en mesure de vous livrer sous huitaine :

- 15 chemisiers en polyester, T 40, vieux-rose, réf. E 215, au prix unitaire de 45 F,

- 4 chemisiers en crêpe, T 42, blanc, réf. E 220, au prix unitaire de 57 F.

Nous nous engageons à vous livrer les 6 chemisiers manquants sous quinzaine.

Nous ne pourrons respecter ces délais de livraison que si la confirmation de votre ordre nous parvient au début de la semaine prochaine.

Veuillez agréer, Monsieur, l'expression de nos sentiments dévoués.

xxxxx

4. Réclamation.

Librairie-Papeterie Pellerin
5, rue de l'Annonciation
75016 PARIS

Établissements Girieux
Rue de l'Egalité
95200 SARCELLES

Paris, le 4 juin 19 ..

Monsieur,

C'est avec surprise que j'ai reçu votre relevé de factures du mois de mai dernier, accompagné d'une traite d'un montant de 5 978 F payable fin juin.

Je me permets de vous rappeler que, selon nos accords, j'ai l'habitude de régler l'ensemble de mes factures à soixante jours ; c'est pourquoi je vous prierais de faire en sorte que la traite correspondant à cette facture ne soit présentée à l'encaissement qu'à la fin juillet.

Dans l'attente, je vous prie d'agréer, Monsieur, l'expression de mes sentiments distingués.

Juliette Pellerin.

5. Réservation de chambres.

Hôtel des Expositions
36, av. du Rhône
69003 LYON

Porta S.A
5, rue Rousseau
75015 PARIS

Lyon, le 28 février 19..

Monsieur,

Nous accusons réception de votre lettre du 14 courant. Nous sommes en mesure de vous réserver pour les nuits du 12 au 16 avril prochain :

- 2 chambres à 2 lits au prix de 320 F chacune,

- 3 chambres à 1 lit au prix de 250 F chacune.

Nous ne disposons plus pour ces dates de chambres individuelles avec salle de bains. Ces chambres disposent toutes de douche et d'appareil de T.V.

Une de nos salles de réunions pourra être à votre disposition, les 13 et 14 avril, au prix de 750 F la matinée, téléphone, consommations et photocopies en supplément. Nos salles ne sont pas encore équipées de télex, par contre vous pourrez utiliser celui qui se trouve dans nos bureaux.

Nous vous demandons de bien vouloir nous confirmer votre réservation le plus rapidement possible et, en tout cas, avant le 15 mars au plus tard et nous faire parvenir, le cas échéant, 25 % d'arrhes.

Veuillez agréer, Monsieur, l'expression de nos salutations distinguées.

xxxxx

6. Report d'échéance.

Filatures du Nord
90, rue du Débarquement
76000 ROUBAIX

Bonneterie Mercier
25, place Jeanne d'Arc
45100 ORLÉANS

Roubaix, le ... septembre 19..

Monsieur,

Nous accusons réception de votre lettre du 11 courant. Nous vous remercions d'avoir eu la délicatesse de nous avertir que vous ne serez pas en mesure d'honorer la traite de 25 352 F qui arrive à échéance le 30 octobre prochain.

Nous regrettons de ne pouvoir donner une suite favorable à votre demande. Il s'agit, d'une part, de la troisième fois au cours des deux dernières années que vous nous demandez un report d'échéance. D'autre part, nous avons nous-mêmes à tenir nos engagements vis-à-vis de nos propres fournisseurs. C'est pourquoi nous vous demandons de bien vouloir respecter vos engagements le 30 octobre prochain, car nous serions au regret de remettre votre dossier à notre service du contentieux.

Nous espérons que vous saurez comprendre les raisons de notre décision.

Veuillez agréer, Monsieur, l'expression de nos sentiments distingués.

xxxxx

7. Réclamation.

Megabyte S.A
20, square des Martyrs
33000 BORDEAUX

Épicerie Macarcq
11, rue Francisco-de-Goya
33000 BORDEAUX

Bordeaux, le 1er juin 19...

Monsieur,

Nous accusons réception de votre lettre du 27 mai dernier dans laquelle vous vous plaignez du fonctionnement défectueux de notre machine à calculer réf. 241.

Nous en avons été très surpris car il s'agit d'un modèle qui se vend très bien et qui, jusqu'à ce jour, n'a fait l'objet d'aucune réclamation. Néanmoins, vous recevrez sous peu, si ce n'est déjà fait, la visite de l'un de nos techniciens qui vous laissera une calculatrice d'un modèle équivalent, s'il ne peut réparer la vôtre sur place, et cela sans aucun frais pour vous.

Soyez assuré que notre service technique fera son possible pour résoudre au plus vite ce petit incident.

Veuillez agréer, Monsieur, l'expression de nos sentiments dévoués.

xxxxx

8. Appel d'offres.

Imprimerie Nouvelle
6, impasse des Lilas
51100 REIMS

Maison Rougeau
Négociant en champagne
128, avenue Bonsoleil
51100 REIMS

Reims, le 7 juin 19..

Monsieur,

Nous vous remercions d'avoir pensé à nous confier vos travaux d'impression des cartes de visite de vos représentants. Nous sommes en mesure de vous fournir les :

- 8 000 cartes modèle F 12 avec photo couleur au prix de 150 F le cent,

- 8 000 cartes modèle F 12 avec photo en noir et blanc au prix de 120 F le cent,

- 8 000 cartes modèle F 12 sans photo au prix de 80 F le cent, avec les indications figurant sur le manuscrit que vous nous avez adressé.

Nous nous engageons à les tenir prêtes dans les dix jours suivant la réception de la commande si celle-ci nous parvient avant le 15 juin.

Nous sommes disposés à vous accorder 1 % d'escompte si les cartes de visite sont réglées et retirées à la date prévue à nos ateliers.

Nous serions très heureux d'entrer en relation avec vous et espérons recevoir bientôt votre ordre à l'exécution duquel nous accorderons tous nos soins.

Veuillez agréer, Monsieur, l'expression de nos sentiments dévoués.

xxxxx

1. Secrétariat.

Marie-Christine Legros
24, rue Lalo
75016 PARIS

Monsieur le Directeur
36, rue de l'orillon
75011 Paris

P.J. : un c.v.

Paris, le ...

Monsieur le Directeur,

L'annonce que vous avez fait paraître dans "Le Monde" d'aujourd'hui a retenu mon attention.

Je suis titulaire depuis huit ans d'un B.T.S de secrétariat. Je me trouve depuis trois mois au chômage car l'entreprise où je travaillais a transféré son bureau dans la banlieue est de Paris et il m'était impossible d'effectuer de si longs déplacements journaliers.

Étant donné qu'il s'agit d'une petite entreprise, j'ai pu me familiariser avec les différentes tâches propres à un poste de secrétaire. De plus, j'ai mis à profit ces trois mois d'inactivité forcée pour suivre des cours de traitement de texte, sur Macintosh précisément.

Je souhaiterais débuter avec un salaire de 7 800 F mensuels nets révisables au bout de six mois.

Je me tiens à votre entière disposition pour tout complément d'information ou entretien que vous jugeriez utile.

Vous trouverez ci-joint mon curriculum vitae avec photo.

Dans l'attente, veuillez agréer, Monsieur le Directeur, l'expression de mes sentiments respectueux.

M.C. Legros

2. Hôtesse-standardiste.

Stéphanie Peronet
17, rue Breguet
63100 Clermond-Ferrand

P.J. : un c.v.

Clermont, le 24 juin ...

Monsieur,

Je me permets de poser ma candidature au poste d'hôtesse-standardiste en réponse à la petite annonce parue dans "Le Figaro" d'hier.

Ma formation, les différents stages effectués dans des succursales de banques françaises à l'étranger ainsi que mon emploi actuel d'hôtesse d'accueil dans une agence du Crédit Lyonnais font que je réponds, me semble-t-il, au profil que vous recherchez.

D'autre part, il me serait possible d'occuper rapidement ce poste car j'ai donné mon congé à mon employeur il y a deux mois à l'occasion de mon mariage. En effet, je souhaite vivement rejoindre mon mari qui travaille à Paris.

Vous trouverez ci-joint mon curriculum vitae détaillé et une photo.

En me tenant à votre disposition pour de plus amples renseignements, je vous prie d'agréer, Monsieur, l'expression de mes sentiments distingués.

Stéphanie Peronet

. Production.

livier De Mandel
3, rue Saint-Michel
3000 LAVAL

Société ELECTRA
Monsieur le Chef du personnel
18, rue de la Bombarde
19002 LYON

J. : un c.v

Laval, le 4 octobre 19..

lonsieur,

ès intéressé par le poste d'ingénieur qui a fait
objet de l'annonce parue dans le dernier numéro
la revue "Cadre", je me permets de présenter
a candidature pour ce poste.

ai actuellement vingt-six ans et je suis titulaire
puis un peu moins de deux ans d'un diplôme
ingénieur. Je viens de terminer mon service
ilitaire, dans le cadre du service national en
treprise, en Guyane, dans une filiale d'un
portant groupe industriel.

ndant dix-huit mois, j'ai assisté le directeur de
production de composants électroniques,
quérant ainsi une solide expérience dans ce
maine.

en que résidant à Laval, je serais ravi de venir
availler à Lyon où j'ai fait toutes mes études
périeures.

me tiens à votre disposition pour une éventuel-
entrevue.

uillez agréer, Monsieur le Chef du personnel,
xpression de mes sentiments distingués.

O. De Mandel

4. Comptabilité.

Ludovic Pragnon
5, square Marcel-Pagnol
34740 VENDARGUES

H. Gauthier
5, rue Auguste-Bartholdi
75015 PARIS

Vendargues, le 3 mai 19..

P.J. : un c.v.

Monsieur,

Votre annonce parue dans "Le Midi Libre" d'aujourd'hui a retenu toute mon attention.

Titulaire d'un B.T.S de comptabilité, je travaille depuis bientôt dix ans dans un cabinet d'expertise comptable dans lequel je suis chargé des déclarations sociales et de T.V.A par ordinateur.

Je suis très content de mon emploi mais, hélas, la structure du cabinet ne me laisse guère envisager de promotion à moyen terme et je souhaite donc trouver un emploi qui m'offre de plus attrayantes perspectives d'avenir.

Mon salaire pourrait se négocier sur la base de 10 000 F mensuels nets.

Je vous adresse ci-joint mon curriculum vitae et me tiens à votre disposition pour de plus amples renseignements.

Veuillez agréer, Monsieur, l'expression de mes sentiments les meilleurs.

Ludovic Pragnon

Les années ne sont pas indiquées et doivent être calculées en fonction de l'année en cours.

1. Responsable des relations extérieures

Marie-Louise BERGER
...
75016 PARIS

Née à Pondichéry (Inde), en ...
Divorcée, sans enfants
Nationalité française

Formation

19.. : Baccalauréat au Lycée français de Bogota (Colombie), mention "Très bien"
19.. à 19.. : H.E.C. Diplôme.

Expériences professionnelles

19.. à 19.. : stage à la Société Générale à Barcelone.
19.. à 19.. : Kommersbank, Francfort.
Depuis 19.. : Directrice du Service extérieur de la Société Générale, Paris.

Langues : Espagnol, anglais et allemand.

Disposée à voyager.

2. Visiteur médical

Frédéric PORTE
25, rue du Moulin
06250 MOUGINS

Né au Canet-Rocheville en ...
Célibataire
Nationalité française

Formation

19.. : Bac

19.. : Diplôme Universitaire d'Etudes Scient fiques. Université de Nice.

Expériences professionnelles

19.. à 19.. : Employé à la Pharmacie Porté Mougins.
Depuis 19.. : Représentant des Laboratoir Roche.

Langues : Anglais

Service militaire accompli.

3. Éducateur spécialisé

Francis TAFFON
15, rue du Château
31420 AURIGNAC

Né à Marignac, le 22 décembre 19..
Marié, 3 enfants
Nationalité française

Formation

- 19.. : Baccalauréat. Lycée Raymond Nav à Toulouse.
- 19.. : Diplôme d'éducateur spécialisé (études a Centre O.R.F.E.A à Toulouse).

Expériences professionnelles

19.. à 19.. : -Éducateur à l'Ecole Jules Ferry Toulouse.
- Stages à l'Ecole des Enfants malades de l'hôpit Purpan de Toulouse.

Depuis 19.. : Poste à plein-temps au Cent Letourneur à Saint-Gaudens.

- Collaboration régulière aux revues "Les No velles du C.R.E.A.I." et "Le Lien social"

. Demande de renseignements.

:onfrère, nom, ci-jointe, poste, l'hôtel-restau-
ant, demande, vous, saison, serais, vouloir, que,
tiles, travail, assuré, discrétion, sujet, confrère,
xpression.

. Demande de rectification.

'Inspecteur, aux lettres, impôts, revenus, compte,
rreur, le calcul au lieu de "la comptabilité", fois,
payée, dernier, s'élève, serais, donc, vouloir, mon, votre, veuillez, Monsieur, salutations.

3. Modification de tarifs.

Remercions, courant, caisses, informons, qui, correspond, dernier, qualité augmentation / hausse, juste, "pas" est à supprimer, une durée, connaître / subir, nouvelle, limitée, pouvoir / être en mesure de, conditions, donc, confirmer, nouveau, comprendrez, retardé, décision, Monsieur, l'expression.

LE DOCUMENT DE PRESSE

phrases à compléter

1. Satellite.

a. Les industriels français proposeraient actuellement le matériel de réception individuelle à 5 000 francs.

b. La firme Amstrad s'est engagée, selon un représentant d'Astra présent à Rome, à fournir le matériel de réception nécessaire à chaque foyer pour 200 livres.

c. Le satellite Astra qui devrait être lancé à la mi-décembre proposera dix-sept programmes de télévision, qui pourront être reçus sur une large partie de l'Europe.

d. La firme allemande Technisat proposerait un même ordre de prix (entre 2 000 et 2 500 francs).

2. Aéronautique.

a. Les sept Airbus A-320 déjà livrés à Air France, Air Inter et British Airways, avaient atteint, à la fin du mois de juillet, un taux de régularité technique de 97,1 %.

b. L'un des trois Airbus A-320 d'Air France a é détruit lors d'un accident à Mulhouse-Habshei le 26 juin.

c. Selon le rapport préliminaire de la commissio d'enquête, ni l'appareil, ni ses systèmes ne so en cause.

d. Le seul Airbus A-320 d'Air Inter est utilisé qu tidiennement cinq heures et cinquante minute

3. Facturation des chèques.

a. Si la banque lui facturait ses chèques, le Fra çais serait prêt à faire jouer la concurrence : pourrait même s'adresser à des institutions étra gères.

b. Un sondage publié dans une revue destinée au consommateurs montre que la facturation d chèques dans les banques serait très mal accept par les Français.

c. 78 % des Français refuseraient de payer les rel vés bancaires.

vrai ou faux

1. Automobile

a. faux.

b. faux.

c. vrai.

d. faux.

e. vrai.

2. Économie japonaise

a. faux.

b. vrai.

c. vrai.

d. vrai.

e. faux.

3. Assurance

a. faux.

b. vrai.

c. faux.

d. faux.

e. faux.

phrases à terminer

. Sécurité

3

. 2

1. 3

. 1

1

. Communication

2

. 1. 2. 3

c. 1

d. 2

e. 3

3. Tarifs postaux

a. 2

b. 2

c. 2

d. 1

e. 2

recherche d'équivalence

. Consommation

"Non seulement les consommateurs connais-
nt les labels officiels de qualité mais souhaitent
ıssi qu'ils soient largement utilisés et que la
ommunauté Economique Européenne adopte
n signe unique."

. "Si 36 % des personnes interrogées lors d'un
ondage affirment "la qualité oui, mais le prix
'abord", 49 % ont affirmé que la qualité était
ur premier critère de choix d'un produit ou
'un service."

"Pour guider leur choix en fonction de ce cri-
ère, 76,5 % des personnes interrogées font
onfiance aux signes officiels de qualité et même
ur accordent de l'importance (63 %) avant
'acheter un produit ou de choisir un hôtel, un
oyage ou un restaurant."

. "Le signe le moins connu, avec 2,5 % de cita-
ons, est la mention 'V.D.Q.S.' (Vin délimité de
ualité supérieure)."

"Le 'Label Rouge' est le plus cité, avec 78 %."

. Production agricole

"Pour l'heure, et en attendant de connaître avec
lus d'exactitude les volumes produits en grains de par le monde, les cours s'emballent : le prix actuel du blé américain, premier exportateur mondial, est supérieur de 37 % à celui de juillet 1987, et celui du maïs de 35 %, avec, en sus, un dollar très légèrement plus cher que l'an dernier à la même époque."

b. "Une série d'informations publiées en fin de semaine n'incitent guère les experts à l'optimisme."

c. "La F.A.O. prévoit pour 1988 une production céréalière mondiale de 1,77 milliard de tonnes, soit 24 millions de tonnes de moins que l'année dernière."

d. "A défaut des États-Unis en panne de grains, la C.E.E. sera-t-elle, cette année, en mesure de fournir les pays acheteurs, comme ceux du pourtour méditerranéen, ou la Chine qui enregistre, elle aussi, en 1988, une très mauvaise récolte."

e. "La planète va-t-elle connaître, dans les mois à venir, une pénurie de céréales, rendant encore plus précaire la situation des centaines de millions de personnes de par le monde qui ne mangent pas à leur faim ?"

3. Industrie

a. "L'automobile française ne s'est jamais portée aussi bien."

b. "Les immatriculations ont progressé de 6 % au cours des huit premiers mois de 1988."

c. "Le climat social, enfin, est au calme plat."

d. "Un marché euphorique, un environnement politique, économique et social particulièrement favorable, elle peut, alors que le salon de Pari rebaptisé Mondial de l'automobile, ouvre s portes jeudi porte de Versailles, s'estimer satisfaite

e. "Renault, Peugeot et Citroën ont réussi le redressement."

grille de lecture

1. Négociations internationales

a. Francis Gutman, président de G.D.F, et Sadek Boussena, directeur de la Sonatrach algérienne.

b. "Faire le point des négociations gazières en cours entre les deux entreprises."

c. - Établir un programme de travail
- Évaluer l'état d'avancement des discussions
- Examiner les possibilités de coopération à moyen et long terme.

d. Début octobre 1988, sûrement à Paris

e. Roland Dumas.

f. Le ministère de l'Industrie et celui des Finances.

2. Vins

a. En automne, puisqu'elle assiste aux vendanges.

b. Il est directeur du port d'Osaka.

c. Créer un musée du vin-maison de la France sur le nouveau technoport d'Osaka.

d. Y créer également le premier centre de négoce du vin pour le Sud-Est asiatique.

e. - Visite d'une propriété à Meursault.
- Visite de la cave coopérative des vignerons des Hauts-de-Côte à Beaune (Bourgogne).
- Visite d'une maison de négoce et la station œnologique du Comité interprofessionnel des vins de Bourgogne.

f. - Les Pays de Loire
- Le Bordelais
- Le Languedoc-Roussillon
- Les Côtes du Rhône
- Le Beaujolais.

Ils visiteront d'autre part l'Alsace et la Champagne.

3. Accord Renault-Toyota

a. Refus de démentir ou de confirmer les info mations. Elle reconnaît cependant l'existence discussions avec les Japonais pour la productio de voitures 4 x 4.

b. En Colombie.

c. Devant la limitation des importations de vo tures japonaises, les constructeurs japonais préf rent s'associer avec des partenaires européer puisque la voiture de marque japonaise n'est pl considérée comme importée si 80 % de la vale ajoutée est européenne.

d. Mauvaise situation financière : elle a dû rec voir 12 milliards de la part de l'Etat pour fai face à ses dettes.

4. Téléphone sans fil

a. 20 000 F.

b. 1 000 F.

c. Appareil sans fil, assez petit, du poids d'ur calculette.

d. Demande de propositions adressées à des fou nisseurs par un acheteur éventuel.

e. - Prise éventuelle de participation de Franc Telecom dans le capital de British Telecom
- Collaboration entre les deux compagnies pou une mise au point de l'appareil
- Mise en place du réseau en Grande-Bretagne
- Mise en place de ce réseau en France.

f. Si la proposition de France Telecom est retenu par les pouvoirs publics anglais, France Teleco prendrait une participation dans British Teleco et les deux organismes travailleraient à la mise a point des appareils.

. *Pisciculture*

Les écologistes, les comités locaux de marins-êcheurs et les conchyliculteurs.

. Une possible pollution atteignant les établisse-ıents ostréicoles.

Pollution impossible. Les courants océaniques ıtraîneront les éléments polluants vers le large.

. Création d'une commission spéciale chargée 'examiner les effets de l'élevage de saumons sur environnement.

Une firme norvégienne spécialisée et plusieurs roupes industriels français (plus particulièrement e l'agro-alimentaire) des régions de Brest et Iorlaix.

Rapide progression de la consommation de sau-ıon en France et insuffisance de la production ationale (déficit de 40 000 tonnes par an).

6. Pétrole

a. Ivry-sur-Seine ; Champigny-sur-Marne (Val-de-Marne).

b. Ressources prometteuses dans le sous-sol parisien d'après des découvertes antérieures.

c. Elf-Aquitaine ; Total ; BP.

d. - 1953 : début de la recherche pétrolière en région parisienne
- découverte de gisements et exploitation
- 1985 : utilisation de "camions-renifleurs" dans la capitale
- consultation de la direction des hydrocarbures
- Autorisation du permis Paris - Ile-de-France.

e. Importante urbanisation qui oblige à suivre la technique du puits dévié (derrick éloigné de l'objectif supposé).

f. Transport en camions-citernes si le tonnage est faible, en "péniches-pétroliers" s'il est important.

g. En 1987, 1,9 million de tonnes de pétrole
63 millions de m³ de gaz.

questions

. *Rachat d'entreprise*

Ils refusent de voir leur entreprise constam-ıent achetée par des personnes ou par des socié-s différentes.

. En le menaçant de démissionner en bloc.

- Négociation entre les cadres (et quelques sala-és) et les actionnaires du montant de la transac-on (25 millions de francs)
- Financement par la banque Citycorp des 5 ıillions de francs de l'apport en capital des ılariés.
- Emprunt à un autre groupe de banques des 20 ıillions restants.
- Remboursement prévu pour six ans.

. Situation économique saine, il n'y a pas de ettes.

Optimisme devant l'avenir : la rentabilité est surée (prévision d'importants bénéfices) et des rojets existent face aux nouvelles technologies.

. *Union monétaire*

- Éviter l'instabilité monétaire
- Sécurité pour les investissements
- Economie sur les coûts administratifs et financiers.

b. - Accélérer la mise en place d'une monnaie unique ainsi que la disparition des frontières monétaires.
- Servir de lien entre les entreprises et les pouvoirs publics.

c. La monnaie allemande, le deutschemark, est une monnaie très forte et ne connaît pas de fluctuations importantes.

d. Elles vont promouvoir l'ECU ; pour cela, elles nommeront au sein de chaque entreprise un délégué qui étudiera toutes les possibilités de traiter en ECU (emprunts, facturation, etc.)

e. **France** : Total, BNP, Crédit Lyonnais, Renault, l'Oréal.
Italie : Fiat, Pirelli, Olivetti, Benetton, Montedison.
Pays-Bas : Philips, Heineken.
Belgique : Solvay.
Allemagne fédérale : Bosch, Agfa-Gevaert.

3. Prix Nobel d'économie

a. Le prix vient récompenser ses travaux sur la théorie des marchés et l'utilisation des ressources.

b. Il est partisan de la construction de l'Europe en insistant sur la nécessité d'une monnaie commune.

c. Il enseigne depuis toujours à l'École des Mines de Paris. Cette école, dépendant du ministère des Travaux publics, forme des ingénieurs spécialisés dans l'étude géologique des terrains, la topographie et l'exploitation du sous-sol et la direction de travaux en souterrains (par ex. : tunnels).

d. Sa vocation professionnelle est née à partir du krach de 1929, c'est-à-dire de la plus grande crise économique de l'entre-deux-guerres.

e. "Avoir la bosse des maths" signifie avoir un don spécial pour les mathématiques, être très doué.

4. Investissements étrangers.

a. C'était pour apaiser ses douleurs d'estomac qu'un chimiste, M. Jean-Pierre Darcet, pensa utiliser les eaux de Vichy, riches en sels. Il mit point une formule qu'il confia à un pharmaci de Vichy. Celui-ci créa alors en 1833 la premiè pastille dont la forme octogonale reste inchangé

b. La pastille Vichy était fabriquée et vendue l'origine dans les pharmacies (officines). En 196 elle est achetée par le groupe français Source Pe rier qui la revend en 1988 au groupe américa Warner-Lambert.. Elle est toujours commercia sée dans les pharmacies, mais aussi dans les sup marchés.

c. Sa fabrication a évolué du point de vue techn logique ; du stade artisanal des débuts, elle passée à un stade industriel. La dernière évoluti date de 1947 lorsqu'elle subit un procédé de "gr nulation" sans que soit changée sa formule.

d. Perrier tend peu à peu à se défaire de ses acti tés de confiserie.

e. Acheter des firmes françaises permet aux étra gers d'une part de s'introduire dans un marc existant, d'autre part de s'installer en France et là, d'avoir une projection en Europe.

RÉDIGER

résumés (propositions)

1. Emploi

Chômage : Baisse de 2 % entre octobre et novembre.

Le dernier trimestre 1988 connaît une baisse de 2 % du taux de chômage. Les indices des mois d'octobre et novembre ont été publiés simultanément à cause d'une grève des P.T.T. qui a retardé l'acheminement des cartes-réponses des demandeurs d'emploi.

La tendance à l'amélioration de la situation de l'emploi se maintient (- 2 % entre novembre 1988 et novembre 1989).
Cette amélioration touche toutes les catégories de chômeurs à l'exception des femmes de plus de 50 ans. En effet, ce sont les jeunes de moins de 25 ans et plus particulièrement les hommes qui bénéficient de cette reprise de l'emploi.
Depuis un an, on assiste à un net recul des licenciements économiques (- 8,6 %) et à une forte augmentation des offres d'emploi (+22 %). Les initiatives en faveur de la formation des chômeurs se multiplient (stage de préparation à l'emploi, travaux d'utilité collective, ...) quoique le nombre des stages d'initiation à la vie professionnelle diminue.

2. Femmes

Sexiste, notre code du travail !

Selon la Cour européenne de justice, la législation française du travail est discriminatoire envers les hommes qui ne peuvent bénéficier de certains avantages réservés jusque-là aux travailleuses. Les mesures ayant trait à la grossesse et à la maternité ainsi qu'à l'égalité des chances seront les seules à être réservées exclusivement aux femmes. Tous les autres avantages (avancement de l'âge de la retraite, réduction du temps de travail après 59 ans, par exemple) peuvent être également attribués aux hommes.

Le Code du travail avait déjà été modifié en 1983 pour s'adapter aux directives européennes, tout en conservant la possibilité d'inclure dans les conventions collectives des avantages réservés aux femmes et qui répondaient surtout à la réalité sociologique française. C'est dans ce cadre que le gouvernement français a proposé que soit trouvée une solution, dans un délai que la Cour souhaite voir fixé au préalable.

3. Portrait

Apprendre et travailler au Japon.

Chaque année, de nombreux étudiants japonais suivent des cours et obtiennent des diplômes en France. En revanche, il est extrêmement rare qu'un Français aille faire des études au Japon. Pierre Baudry souligne l'importance des liens noués au cours de ces années d'études en France, ainsi que des informations obtenues qui facilitent l'installation des Japonais dans l'Hexagone. Il insiste aussi sur les difficultés rencontrées par les entreprises françaises pour s'installer au Japon. Connaissant très bien ce pays et la Chine, il a créé un cabinet de conseil spécialisé dans l'aide aux entreprises qui désirent s'installer au pays du Soleil-Levant. Le président de SBA Consulting Group souhaiterait qu'une quinzaine de Français, au lieu d'un seul jusqu'à présent, puissent bénéficier chaque année d'un stage au Japon et il cherche, pour cela, des partenaires industriels. Il est à remarquer que 869 étudiants japonais sont venus étudier en France pendant l'année scolaire 1988 - 1989.

4. Loisirs

Golf : la croissance hystérique, c'est fini !

Note : Mirapolis et Zygofolis sont des parcs d'attractions qui ont connu de sérieuses difficultés financières.

Après l'euphorie de ces dernières années où, pourtant, tout n'a pas toujours été facile, le marché de l'aménagement et de l'entretien des terrains de golf est en train de se calmer. Le nombre des joueurs augmente régulièrement et devrait pratiquement doubler d'ici à l'an 2000. Pour ce qui est du nombre de greens, malgré ses efforts et avec une moyenne de trente nouveaux terrains par an, la France reste loin derrière les États-Unis (1 inauguration par jour jusqu'à l'an 2000) et le Japon qui possède déjà plus de 1400 terrains. Les participants au Forum Green 88 ont insisté sur la nécessité d'adapter les terrains aux régions : ils citent, par exemple, le cas de la Côte d'Azur qui doit soutenir la concurrence des luxueux clubs de Marbella ou de l'Algarve. De plus, les terrains de golf peuvent devenir un élément du patrimoine touristique français. Le modèle américain de développement de centre de loisirs à l'extérieur des villes ne semble pas séduire les Français qui hésitent à en sortir. Une nouvelle politique urbaine tend à rapprocher les centres de loisirs des citadins, ainsi le Nautiparc installé près d'une grande surface à Chambéry ou l'Aquaboulevard dans le XVe arrondissement de Paris.

5. Études à l'étranger

Erasmus à Érasme.

Depuis 1987, le programme Erasmus permet aux Étudiants des pays membres de la C.E.E d'aller effectuer une partie de leurs études dans un autre État membre.
L'hôpital Érasme, dans la banlieue de Bruxelles, accueille, cette année, une vingtaine d'étudiants en médecine. Il s'agit là d'une expérience pilote. Pour un des responsables, le Professeur Toussaint, il faudra attendre le retour des étudiants dans leur pays pour juger des résultats. La structure d'accueil mise en place est souple, permettant ainsi de mieux répondre aux besoins des étudiants.

Un des principaux problèmes qui se posent est celui des équivalences. En effet, les cursus sont différents d'un pays à l'autre : on n'enseigne pas les mêmes matières au cours de la même année en Espagne, en France ou en Grèce. Il est donc important de savoir si les résultats obtenus en Belgique seront reconnus dans les facultés d'origine. Il semble que chaque dossier sera étudié individuellement et que chaque faculté intégrera, à sa manière, les matières passées à Bruxelles. Les professeurs belges ne sont pas inquiets pour les étudiants du programme Erasmus car, dans l'ensemble, ils ont tous un très bon niveau. Le témoignages des étudiants sont tous favorables a programme européen qui possède aussi une facette humaine non négligeable : il permet aux étudiants de nationalités différentes d'avoir de contacts entre eux et de se familiariser ave d'autres cultures. Cette première expérience semblerait démontrer que les relations sont plu faciles entre étudiants européens qu'avec ceu venus de pays tiers.

6. Transport

Avec l'aide des professionnels de la route, M. G Sarre, secrétaire d'État aux Transports, veut crée un service de dépannage routier permanent Quoique peu fréquentes, en général, les panne sont mal supportées par les automobilistes.

L'individualisme français explique le manqu d'associations d'automobilistes comme il en exist dans le reste de l'Europe : ADAC en Allemagne AA en Grande-Bretagne ou ACI en Italie. E France, les Automobile clubs sont rares et le service n'est garanti que si certaines conditions son remplies. D'autre part, l'automobiliste a quelquefois l'impression de payer un prix disproportionné par rapport à l'importance de la panne L'absence d'un service d'assistance donne au étrangers une image négative d'un pays touristique par excellence. Certains Automobile club étrangers se sont déjà implantés en France e pourraient être tentés d'assurer l'ensemble de dépannages à partir de 1993, au détriment d'u service national. Conscients du problème, certains organismes (CSNCRA, Le Secours Routier et des firmes (GMF, Renault) prennent des initiatives ou s'associent afin d'améliorer l'assistanc à l'automobiliste en panne. L'intervention d M. Sarre permettra de coordonner ces actions isolées et d'assurer la participation de l'Etat. Un réglementation est prévue pour garantir, d'un part, l'assistance permanente et des tarifs fixés l'avance, d'autre part. Un accord de principe existe entre les différents partenaires, il ne reste plu qu'à en préciser les différentes modalités et à désigner le président de la future association.

7. 1992

Les bonnes intentions ne suffisent pas pou construire l'Europe communautaire car il ne s'ag pas simplement de mettre en place le "grand marché" qui devrait permettre aux entreprises d

'ieux Continent de relever avec succès le défi de
ı concurrence étrangère. Dans l'esprit du Traité
e Rome, Jacques Delors et les membres de la
Commission se refusent à faire une Europe exclu-
ivement économique, au détriment de l'Europe
es hommes. Pour eux, "le grand marché inté-
ieur" n'est qu'un de leurs objectifs. Il en existe
'autres tout aussi importants et étroitement liés,
omme par exemple la réduction des disparités
égionales, la coopération dans les domaines
ıonétaire et scientifique, la protection de l'envi-
onnement. Il s'agit donc de renforcer le modèle
uropéen de développement économique caracté-
isé par ses dimensions sociales et humaines.
Cependant, cet "espace économique unifié" rêvé
ar la Commission gêne encore certains pays
ıembres. Elle pense donc lancer une campagne
'information afin que chacun puisse connaître la
ortée d'une transformation qui va affecter tous
es Européens dans leur vie quotidienne, et com-
ıencer à agir en tant que tels.

. U.R.S.S.

e phénomène de la perestroïka a des retentisse-
ıents dans les milieux financiers européens où
ifférentes banques se bousculent pour proposer
es prêts importants à l'Union soviétique.
s'agit de quelque 6 milliards de dollars qui pro-
iendraient de R.F.A., France, Grande-Bretagne
: Italie. Des banques allemandes ont déjà ouvert une ligne de crédit importante à la Vnesheconombank soviétique comme l'avaient fait auparavant les banques italiennes. Quant aux banques britanniques et françaises, elles sont en train de négocier différents prêts ou d'étudier de possibles accords, pendant que se signent, d'autre part, des contrats de joint-venture. Les bouleversements que vit actuellement l'Union soviétique sont à l'origine de l'intérêt des banques européennes. En effet, c'est un grand marché qui peut s'ouvrir à l'Occident avec de nombreuses perspectives d'avenir étant donné le nombre potentiel d'acheteurs. Il est vrai aussi que la solvabilité de l'U.R.S.S., ses richesses en or et en pétrole ont pesé dans la décision des banques européennes au moment d'accorder des prêts. La politique d'ouverture à l'Ouest de M. Gorbatchev a porté ses fruits et les principaux membres des gouvernements européens se sont rendus ou vont se rendre à Moscou.

La concurrence est forte et la France doit faire un effort pour augmenter ses exportations vers l'U.R.S.S, bien inférieures à celles de l'Allemagne. Il existe déjà une infrastructure bancaire soviétique en Europe (Moscow Narodny à Londres et Eurobank à Paris), puisque des prêts avaient été déjà avant la guerre en Afghanistan. Les nouvelles concessions de crédit sont devenues nécessaires pour assurer le succès de la perestroïka et aider M. Gorbatchev dans ses difficultés budgétaires.

rédaction

. Le logement

ı fil des années, les conditions de logement des
rançais s'améliorent, mais pas encore assez à leur
oût. Leurs préférences vont à la maison indivi-
uelle avec jardin plutôt qu'à l'appartement ou à
ı maison de ville. Les maisons individuelles
eprésentent 56 % du parc immobilier français.
n dix ans la surface moyenne d'un logement est
assée de 77 m^2 à 88 m^2. Les maisons indivi-
uelles ont une quarantaine de mètres carrés sup-
lémentaires. Mais les Français continuent de
ever d'un logement plus grand.

2. Les carburants

Le 7 janvier prochain, à minuit, le prix des carburants en France augmentera en moyenne de 9 centimes comme conséquence de l'augmentation de 2,6 % des taxes sur les produits pétroliers. Le prix moyen d'un litre de super va donc dépasser la barre des 5 F. Il ne s'agit que d'un prix moyen national car le prix des carburants varie d'une région à l'autre et d'un réseau de distribution à l'autre.
Ce relèvement annuel de la taxe sur les produits pétroliers va permettre à l'État d'augmenter ses

recettes de 7 milliards de francs. Paradoxalement, si le prix hors taxes d'un litre de super en France est un des plus bas d'Europe (1,14 F), il est un des plus élevés lorsqu'il est appliqué au consommateur.

La production pétrolière française a augmenté de 5 % pour atteindre quelque 3,4 millions de tonnes. La production de la région Aquitaine continue de régresser alors que celle du Bassin Parisien augmente régulièrement. Les explorations continuent et sept nouveaux puits ont été creusés. Toutefois, il semblerait que les sommes consacrées aux explorations pétrolières diminueront en 1989.

3. Tourisme

O. Stirn, ministre du Tourisme, a annoncé le lancement d'une compagne publicitaire pour inciter les citadins à partir en vacances.
D'après les statistiques, le bilan des stations de sports d'hiver ne devrait pas être trop mauvais, malgré un enneigement insuffisant en début de saison. A l'occasion des fêtes de Noël, 37 % des Français quitteront leur domicile pour quatre nuits
En ce qui concerne les sports d'hiver, le par hôtelier français est insuffisant par rapport à celu de la concurrence suisse et autrichienne. Il rest également un effort à faire pour offrir des activités variées à tous ceux qui ne consacrent que trè peu de temps à la pratique du ski, car la plupar des stations françaises ont été conçues en fonctio des bons skieurs.

Ces efforts auraient pour but d'attirer la clientèl étrangère qui semble, depuis une dizain d'années, préférer l'Espagne et l'Italie. Le nombr de Français partant en vacances se maintenan autour de 58 %, il est donc nécessaire de fomenter le tourisme étranger pour équilibrer le dépenses des 10 millions de Français qui parten à l'étranger.
S'il semble relativement aisé d'offrir aux étranger des formules de séjours attrayantes, la qualit humaine de l'accueil pose des problèmes longs e difficiles à résoudre.
Les objectifs du gouvernement dans le domain touristique sont ambitieux : augmenter de 20 % le solde net de la balance touristique, en quatr ans, avant l'échéance 1993.

Imprimé en France par I.M.E. - 25-Baume-les-Dames
Dépôt légal n° 1572-11/1992
Collection n° 23 - Edition n° 02
15/4798/3